Marc Couture

La coupe Stanley

Illustrations
Nadia Berghella

Éditions du Phœnix

Dépôt légal 2009

Imprimé au Canada

Graphisme : Guadalupe Trejo
Révision linguistique : Hélène Bard

Éditions du Phœnix
206, rue Laurier
L'Île Bizard (Montréal)
(Québec) Canada H9C 2W9
Tél.: 514 696-7381 Téléc.: 514 696-7685
www.editionsduphoenix.com

Catalogage avant publication de Bibliothèque et Archives nationales du Québec et Bibliothèque et Archives Canada

Couture, Marc

La coupe Stanley

(Collection Oiseau-mouche ; 7)
Pour enfants de 6 ans et plus.

ISBN 978-2-923425-83-2

I. Berghella, Nadia. II. Titre. III. Collection: Collection Oiseau-mouche ; 7.

PS8605.O921C68 2009 jC843'.6 C2009-940165-7
PS9605.O921C68 2009

Éditions du Phœnix remercient la SODEC pour l'aide accordée à leur programme de publication.

Nous reconnaissons l'aide financière du gouvernement du Canada par l'entremise du Programme d'aide au développement de l'industrie de l'édition (PADIÉ) pour nos activités d'édition.

Marc Couture

La coupe Stanley

Éditions du Phœnix

Du même auteur, chez Phoenix

La médaille perdue, coll. Oeil-de-chat, 2006.

Une épouvantable saison, coll. Oeil-de-chat, 2008.

À Nadine, qui a toujours été
un modèle de persévérance

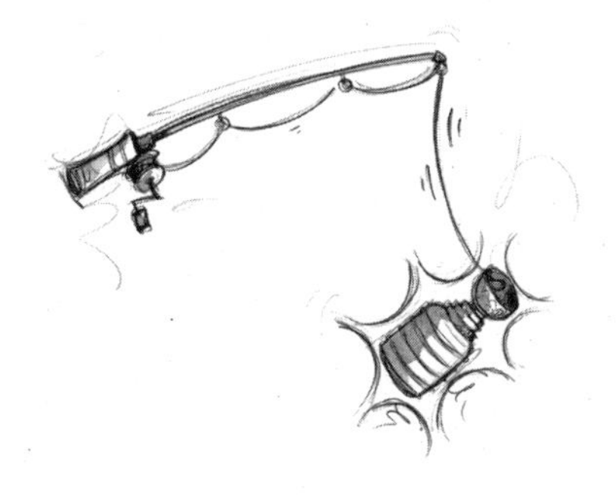

1

La promesse

Ah, voyager... Grimper la plus haute montagne du monde, me promener dans les plus beaux zoos, voir des ours polaires, des tigres, des éléphants. Tout cela me semble bien extraordinaire. Mais le plus grand de mes rêves, surtout durant la saison de hockey, c'est de me rendre à Toronto. Tu veux savoir pourquoi ? Pour visiter le temple de la renommée du hockey, bien sûr ! Et pour admirer la coupe Stanley ! Ah ! Toronto… imagine ça.

Quand on adore ce sport comme moi, aller voir le temple de la renommée, c'est important ! C'est un pèlerinage, un voyage que l'on doit faire au moins une fois dans sa vie. Toronto, c'est très loin, à plus de cinq heures de route. C'est sûrement pour cette raison que je n'y suis encore jamais allé. Pour cela, et à cause de mon mal de cœur.

Depuis que je suis tout petit, j'ai le mal des transports. Presque tous les membres de ma famille en souffrent. Mon chien Tobi aussi !

Chaque fois que l'on voyage en auto, l'un de nous est malade. C'est même devenu une blague ! Ma mère doit toujours me dire : « Julien, n'oublie pas d'apporter un petit sac brun. » Un jour, Tobi a vomi six fois durant le trajet, alors on a manqué de sacs. Tu imagines la suite…

Pour aller à Toronto, je ferais n'importe quoi. Comme prendre un médicament contre les nausées, même si je les déteste ! Les sirops ont mauvais goût et les comprimés, je suis incapable de les avaler. Mais pour admirer la coupe de mes yeux, je serais prêt à tout ! Un week-end à Toronto pour visiter le musée du temple de la renommée et voir la coupe Stanley, j'en rêve depuis toujours !

« Un jour, nous irons, toi et moi ! » m'a dit mon père. Un jour, c'est loin ! Je n'en peux plus d'attendre, moi !

J'ai tellement insisté auprès de lui qu'il a eu l'idée géniale de me fixer un objectif. Il voulait calmer mon impatience, c'est certain.

— Julien, je te promets de t'emmener à Toronto dès que tu auras marqué ton dixième but de la saison. Qu'en penses-tu ?

« Dix buts ? Quel contrat ! Je suis un bon joueur, petit et rapide, mais marquer dix buts dans une saison… Je n'ai jamais réussi cet exploit ! »

Je lève la tête vers mon père, les yeux perdus dans le vague. Il sourit. Il adore me voir patiner en direction du filet avec la rondelle. J'accepte son offre d'un signe de la tête.

2

Objectif : Toronto

Depuis que j'ai pris cette entente avec mon père, je n'ai qu'une idée en tête. Relever le défi.

Compter dix buts, c'est pour ainsi dire une mission impossible. Par contre, je suis déterminé. Je veux réussir par tous les moyens, malgré les embûches. Pour y arriver, je suis même devenu l'ami de Finn, le capitaine et le joueur le plus vantard de mon équipe. Il préfère jouer seul, sans jamais faire de passes. Mais depuis que je suis son copain, ça lui arrive. Je fais alors plus de tirs au but et je marque plus souvent. Finn n'est pas mon meilleur ami, mais j'apprends à le connaître. Tout ce que je veux, c'est qu'il me refile la rondelle.

Aussi incroyable que cela puisse paraître, après chaque match, je m'approche davantage de mon objectif. Finn m'aide, bien sûr, mais c'est aussi grâce à ma détermination et à mon talent naturel. En plus de mes séances d'entraînement quotidiennes pour m'améliorer, je fais des redressements assis et des pompes, et je grimpe plusieurs fois les escaliers à la course. Je pratique aussi, au grand malheur de mon père, mes super lancers frappés sur la porte du garage. Tous ces efforts pour une seule et unique raison, voir ce fabuleux trophée : la coupe Stanley !

Hier, à seulement cinq minutes de jeu de la fin de la troisième période, j'ai suivi Finn en échappée. Un joueur de l'équipe adverse a foncé sur lui. Finn m'a fait une passe et je me suis élancé comme une flèche vers le gardien de but. Les spectateurs dans les estrades criaient :

JULIEN, JULIEN, JULIEN !

J'ai lancé la rondelle vers le filet et j'ai marqué un point. Pas n'importe lequel ! Mon dixième ! Mes coéquipiers me croyaient fou en m'entendant crier à tue-tête :

— À moi la coupe Stanley !

3

Le temple de la renommée du hockey

Je vais enfin visiter Toronto. On roule sur l'autoroute lorsque j'aperçois, au loin, la tour du CN. Nous sommes tout près. Je n'en peux plus, je ne tiens plus en place. Je me trémousse d'impatience sur la banquette arrière.

— Calme-toi, me dit mon père. On y est presque.

Me calmer ? Alors que je réalise enfin mon rêve de voir la coupe Stanley, la regarder, la toucher et l'admirer ! C'est impossible !

En sortant de l'auto, je prends une grande respiration. Malgré le médicament au goût de banane avalé avant le départ, j'ai eu des haut-le-cœur durant tout le voyage. Mais cela ne m'empêche pas de rester bouche bée devant le temple de la renommée. Je m'incline un peu, pour démontrer tout le respect que j'ai envers le seul musée du hockey au Canada.

Mon père a tout juste payé notre billet d'entrée que j'admire déjà les anciens chandails des premières équipes. Puis j'aperçois l'incroyable Wayne Gretzky qui me fixe du regard. C'est une image en carton grandeur nature, bien entendu. Les touristes s'entassent et se bousculent. Quel endroit ! Je me demande si je pourrai l'explorer au complet en une seule visite. C'est fabuleux ! Certains, comme mon père, lisent tout ce qui est écrit sur les affiches explicatives. Pas moi ! Il y a trop de salles d'exposition à visiter. Le temps presse ! En plus, ce musée est un vrai labyrinthe. C'est incroyable, rien que des objets pour les amateurs de hockey. Les premiers patins chaussés par

Wayne Gretzky, un album photo de Mario Lemieux... J'en ai le souffle coupé. Je suis impressionné.

Je veux tout voir, absolument tout. Une force invisible me pousse à travers les salles. Mais où est-elle, cette coupe ? Je me précipite après chaque tournant. Je la cherche. Je brûle d'impatience. Je trépigne. N'en pouvant plus, je m'informe auprès d'un garde de sécurité. Il me répond en souriant que la coupe est exposée dans sa propre salle d'exposition. Wow ! Une salle entière lui est consacrée ! Au pas de course, je m'élance dans le musée. Je suis les directives du gardien. Je passe à travers plusieurs autres pièces ;

il y a foule. Après plusieurs détours, je me retrouve enfin devant un long et étroit escalier. Je dois m'arrêter, patienter dans la file d'attente qui avance à pas de tortue. Elle est populaire, la coupe Stanley !

Je fais la queue moi aussi. Le musée laisse entrer beaucoup trop de visiteurs ! L'idée de me faufiler entre leurs jambes me traverse l'esprit. Lentement, trop lentement, la file progresse.

4

Face à face avec la coupe

J'entre dans une vaste pièce qui ressemble à un immense coffre-fort. Une salle bien gardée, comme celles des banques que les gangsters dévalisent dans les films d'action. Je ne devrais pas être si surpris, c'est la coupe Stanley, après tout ! Elle mérite e sous bonne garde ! Les responsables du musée ont utilisé de grands moyens pour assurer sa protection. Il y a même des caméras de surveillance et plusieurs autres systèmes de sécurité hautement sophistiqués. Ce serait une énorme perte, une honte, si jamais un voleur s'en emparait. Je suis tout à fait rassuré.

Mon père me rejoint et me donne la main. C'est un vrai amateur de hockey lui aussi, tout comme moi, d'ailleurs. Je suis surexcité ! La file avance encore un peu, toujours aussi lentement, puis c'est enfin à mon tour de me placer devant la coupe Stanley. Sa beauté m'éblouit. Il est même permis de la toucher. Je mets mes deux mains dessus. Je la palpe et l'admire pendant de longues minutes. Mon père prend quelques photos, puis je tourne lentement autour. J'aurais tant aimé la tenir à bout de bras comme le fait le capitaine de l'équipe championne. Je me demande si j'aurais la force de la

soulever. Elle pèse seize kilogrammes !

Je tente de trouver les noms des joueurs de mon club préféré, les Canadiens de Montréal. Je lis chaque inscription. Je cherche. Je regarde partout sur le trophée. Rien. Je n'en vois aucun que je connais. Je fais le tour plusieurs fois. C'est impossible ! C'est une mauvaise plaisanterie ! Ce trophée doit être une grossière reproduction de l'originale. La vraie coupe doit être cachée quelque part. Déçu, je poursuis le reste de ma visite. Dans une autre section du musée, je m'amuse à pratiquer mes lancers frappés devant les simulateurs de gardiens. Je prends aussi le temps de commenter une partie entre le Canada et la Russie.

De retour à l'hôtel, je continue l'exploration du temple de la renommée sur l'ordinateur portable de mon père. Sur le site Internet, on peut examiner la coupe Stanley en trois dimensions, et même la faire pivoter. J'ouvre en gros plan. Je lis un nom au hasard : Jean Béliveau. Il jouait avec les Canadiens il y a de

cela très longtemps. Son nom est inscrit dix-sept fois sur le trophée. Pourtant, au musée, je ne l'ai pas vu... C'est le joueur qui apparaît le plus souvent. Curieux ! Je continue ma visite virtuelle ; les pages s'ouvrent et se ferment. Puis, tout à coup, je laisse échapper un cri de surprise.

Les Canadiens de Montréal ont bel et bien gagné la coupe Stanley, et plus d'une fois ! En toute logique, tous les membres de l'équipe devraient s'y retrouver. C'est écrit noir sur blanc, ici. Je choisis un autre nom au hasard : Maurice Richard. Un ailier droit, tout comme moi : le plus grand de tous les temps. Je suis certain de ne pas avoir vu son nom lors de ma visite. J'ai pourtant très bien regardé. Que se passe-t-il ? Mystère et boule de gomme ! Je dois en avoir le cœur net et revisiter le musée. Je n'ai aucune difficulté à convaincre mon père d'y retourner le lendemain.

5

Une énigme à résoudre

À mon réveil, je n'ai qu'une idée en tête : retourner au musée. Dès notre arrivée, je traverse toutes les salles à la hâte, sans même m'arrêter. Je trépigne d'impatience dans la file d'attente.

« Allez, avancez, c'est que j'ai une énigme à résoudre, moi ! »

J'arrive enfin devant elle. Je fais une pause solennelle et respectueuse, puis je commence ma recherche. Centimètre par centimètre, j'explore les anneaux gravés de la coupe. Jean Béliveau n'y est pas, alors que son nom devrait apparaître souvent. J'essaie de repérer celui de Maurice Richard. Il ne figure nulle part. C'est incroyable !

Je ne m'amuse plus du tout. C'est un coup monté contre mon équipe préférée. Je veux bien croire que nous sommes à

Toronto, en plein territoire des Maple Leafs, mais tout de même !

Je m'efforce d'attirer l'attention de mon père, mais il est en grande conversation avec un touriste. Je me tourne de nouveau vers le trophée. J'essaie avec Guy Lafleur. Pas là ! Jacques Plante. Aucune mention ! Je nage en plein mystère. C'est à croire que quelqu'un a effacé le nom de tous les joueurs des Canadiens de Montréal. Pourtant, ils l'ont gagnée plus de vingt-quatre fois, cette coupe ! Et, la dernière fois, c'était en 1993, mon père me l'a répété assez souvent ! Je n'en reviens tout simplement pas. Quelle énigme !

C'est peut-être un acte de vandalisme ! Après tout, n'importe quel hurluberlu peut la toucher. Pourtant, les noms des joueurs du Tricolore ne sont pas inscrits. Pourquoi ? Je suis tout à fait étonné, choqué même. C'est inacceptable !

6

Mystère !

J’exige sur-le-champ une rencontre avec le responsable du musée. Je fais tant de tapage, tant de bruit, que je suis vite entouré de gardiens de sécurité. Mon père, le visage défait par la honte, tente en vain de me calmer. Enfin, quelqu’un avertit le directeur. Ce dernier accepte de me recevoir. Les gardiens m'escortent jusqu'à son bureau.

— Pourquoi voulez-vous me rencontrer, jeune homme ? me demande-t-il, assis confortablement dans son fauteuil.

Le directeur écoute attentivement mon histoire, puis un sourire apparaît sur ses lèvres. Il se lève, et me remercie pour la bonne

blague. Il essaie de se retenir, mais il éclate de rire et s'étouffe. Je suis en colère.

— Voyons, mon garçon, me dit-il avec son accent anglais, ce que tu racontes est impossible. Les noms des joueurs des Canadiens de Montréal figurent bien sûr la coupe. J'en suis certain !

Je sors mon appareil photo numérique et, preuves à l'appui, je lui démontre le contraire. Le directeur du musée perd immédiatement son sourire. Il se précipite vers la porte de son bureau et part en coup de vent sans saluer mon père qui m'attend dans l'entrée.

D'un pas ferme, il fonce vers la salle d'exposition, mon père et moi sur ses talons. Nous avons de la difficulté à le suivre. Il court plus vite que nous. Au passage, il bouscule quelques visiteurs et s'excuse du bout des lèvres. Il ne veut pas croire à mon histoire, c'est trop invraisemblable, mais il doit tout de même vérifier par lui-même.

À bout de souffle, il s'arrête net devant la coupe. Il se penche et l'inspecte avec minutie. Son visage vire du rouge au blanc. J'ai peur qu'il tombe raide mort. Il appelle aussitôt la sécurité et annonce la fermeture de la salle d'exposition.

En toute tranquillité, le directeur examine le trophée. Plusieurs noms, dont ceux des joueurs des Canadiens de Montréal, ont bel et bien disparu. Seules les inscriptions de l'équipe préférée de mon père, les Sénateurs d'Ottawa, et des autres clubs des États-Unis, paraissent intactes. À plusieurs endroits sur le trophée, apparaît un vieux gris métallique sans aucune gravure. Par quel étrange phénomène tous ces noms se sont-ils volatilisés ?

7

De mystérieuses disparitions

Alertés par la fermeture de la salle d'exposition, de nombreux journalistes viennent s'informer. Ils réclament une conférence de presse. Le lendemain, dans tous les journaux, on peut lire des titres à la une comme :

Scandale au temple de la renommée !

Des vandales attaquent la coupe Stanley !

Mystère au temple de la renommée !

Tous ces titres évoquent un seul et unique fait : la plupart des noms des Canadiens de Montréal ont disparu mystérieusement de la coupe Stanley. Et c'est moi qui l'ai remarqué le premier ! J'en suis si fier.

Pour élucider ce mystère, on fait appel aux plus grands experts du pays. Certains estiment que la corrosion est attribuable aux nombreux contacts des mains sur la coupe. D'autres racontent qu'on a volé l'original et mis une copie à la place.

Ces soi-disant experts se trompent. Ils disent tous des bêtises. J'en suis certain. Moi, je pense qu'il s'agit de vandalisme. Probablement causé par des partisans des Maple Leafs de Toronto qui détestent les Canadiens de Montréal. Voilà ! Mais je ne saurais expliquer comment ni par quel procédé ils ont réussi leur coup.

— Foutaises, tout ça ! s'exclame mon père en laissant tomber le journal. Elle a seulement besoin d'une cure de rajeunissement, d'un bon nettoyage, c'est tout ! Elle en a vu de toutes les couleurs, cette coupe, depuis l'année

mille huit cent quatre-vingt-treize ! On raconte qu'au début de son existence, un joueur l'aurait bottée dans le canal Rideau à Ottawa. Un autre l'aurait oubliée dans la neige sur le bord d'une route. Elle aurait même été utilisée comme pot de fleurs. Elle est tellement sale que les noms sont devenus illisibles. Rien de mystérieux ! Un bon nettoyage, répète mon père, voilà ce dont elle a besoin. Ensuite, elle sera comme neuve !

Mon papa a sûrement raison. C'est un scientifique très sérieux qui travaille au Musée des beaux-arts de Montréal. Il est restaurateur en orfèvrerie. Il sait de quoi il parle ! N'empêche, moi, je suis convaincu que cette merveilleuse coupe a été la proie de vandales.

Les dirigeants de la Ligue nationale de hockey exigent des explications et des réponses à leurs questions. Ils lisent les journaux eux aussi. Ils demandent la réouverture de la salle ; la coupe doit être remise en exposition au plus vite.

Mais le directeur du musée a d'abord une énigme à résoudre.

8

Mon père, un expert

À la suite de ce tapage médiatique, mon père, convaincu de sa théorie, offre ses services au directeur du musée. Justement, ce dernier cherche un autre expert pour éclaircir ce mystère. Le lendemain matin, mon père savoure lentement un café, pendant que moi, je bois un bon chocolat chaud, tout en écoutant avec attention les propos du directeur. Il fait pitié à voir. Il est épuisé et mal rasé, et de larges cernes entourent ses yeux. Le pauvre homme affiche un air désespéré. Tout laisse croire qu'il a passé la nuit à tenter de résoudre l'énigme.

Sans grand succès, on dirait. Il a besoin d'aide et, de toute évidence, le temps presse.

Il veut que mon père se penche sur la question. Seulement, nous devons retourner à Montréal. Je dois aller à l'école, moi, et, plus important encore, j'ai une partie de hockey à jouer.

— Alors, monsieur, acceptez-vous d'examiner la coupe pour nous ? Après tout, vous êtes un restaurateur en orfèvrerie très connu à Montréal. Nous vous faisons entièrement confiance.

— Bien sûr, répond mon père, sans hésitation.

— Mais le musée n'a aucun service de restauration ni de conservation, ajoute le directeur, inquiet.

— Faites-la parvenir à mon laboratoire à Montréal. Je m'en occuperai dans les plus brefs délais.

Incroyable ! Je n'en crois pas mes oreilles. La coupe Stanley viendra à Montréal et elle sera dans le laboratoire de mon père !

— Nous voulons avant tout votre opinion d'expert sur les causes de ce mystère.

— Bien entendu, s'il s'agit de corrosion ou d'érosion, comme le prétendent certains, j'y apporterai les correctifs nécessaires. J'appliquerai les méthodes de traitement avec votre consentement, bien sûr. Mais il n'y a aucun mystère là-dessous ! En premier lieu, elle a besoin d'être examinée, puis d'être bien nettoyée, c'est tout.

Moi, je ne suis pas convaincu du tout. J'adhère toujours à la thèse du vandalisme. Le directeur semble quelque peu soulagé. Une poignée de main scelle leur entente.

— Tout ça doit être fait dans le plus grand secret, car on doit assurer la sécurité de la coupe, vous comprenez ? Elle ne quitte le temple de la renommée que lors de la finale des matchs des séries éliminatoires, vous savez.

— Bien entendu, vous pouvez compter sur moi, réplique mon père. Motus et bouche cousue !

Puis, il me fait un clin d'œil. Dans mon esprit, le doute persiste : papa pourra-t-il élucider ce mystère ? Sera-t-il capable de faire réapparaître les noms de mes joueurs préférés ?

9

Les pieds dans les plats

De retour à Montréal, mon entraîneur veut absolument tout savoir de ma visite.

« Il était bien, ton voyage à Toronto ? me demande-t-il. Sans même attendre ma réponse, il continue de me questionner. Tu as vu la coupe Stanley ? Comment est-elle ? »

Je m'empresse de lui raconter notre aventure. Il semble vraiment très intéressé par mon histoire. Lorsque je lui parle de la disparition des noms des joueurs des Canadiens de Montréal, il remue la tête de gauche à droite en signe de désappointement. Apparemment, tout le monde est au courant de cette nouvelle.

Lorsque je leur apprends que l'énigmatique trophée est à Montréal, ils se moquent de moi. Mais quand je leur annonce que la coupe se trouve au bureau de mon père, alors là, tous mes coéquipiers se mettent à rire. On me traite de menteur, on me lance toutes sortes de projectiles : des bouteilles d'eau, des rouleaux de rubans, des gants. Ils me huent. Même l'entraîneur s'en mêle.

— Ce n'est pas bien, de mentir ! s'exclame-t-il. Surtout à ton âge.

— Je dis la vérité. Toute cette histoire est vraie !

J'essaye en vain de leur expliquer, mais mes camarades me sifflent de plus belle. De toute évidence, ils doutent de l'exactitude de mon récit. Les larmes aux yeux, je m'écrie :

— Si vous ne me croyez pas, venez le constater par vous-même !

Le son de ma voix retentit dans tout l'aréna, il me semble. Un lourd silence plane ensuite dans la salle des joueurs.

— Tu es sérieux ? me demande l'entraîneur.

— Bien sûr ! Je vous invite tous demain à venir voir la coupe Stanley !

Je pense leur avoir cloué le bec, mais je réalise, à ce moment précis, que je viens de commettre une grave erreur. La plus grosse bêtise de ma vie. Je m'imagine déjà le visage de mon père. Acceptera-t-il que toute mon équipe visite son lieu de travail ?

Lorsque nous sommes seuls dans la voiture, je le supplie. Les larmes aux yeux, les mains

jointes, je fais toutes les promesses imaginables. C'est seulement après une longue négociation que mon père acquiesce. Il consent à recevoir toute mon équipe de hockey dans son laboratoire. Heureusement ! C'était ça ou j'allais subir les railleries de mes coéquipiers pour le reste de la saison. J'aurais été forcé d'abandonner mon sport favori ! Une solution tout à fait inacceptable.

Dès le lendemain, mon équipe au grand complet patiente à la porte du bureau de mon père. Après une courte attente, il nous invite à entrer. On entend aussitôt des *oh* ! et des *ah* !

— Regardez, c'est la coupe Stanley !

Il y a une telle effervescence dans l'air ! Les yeux de mes camarades brillent de jalousie. Par précaution et surtout par souci de sécurité, mon père leur interdit d'y toucher. Il n'a pas encore trouvé d'explication au mystère entourant la disparition des noms des joueurs des Canadiens. Le doute persiste toujours. Mon père a sa théorie, mais je n'y crois pas, c'est trop simple. Je préfère la mienne.

Mon papa a du travail à faire ; la visite est de courte durée. Il demande à tous de garder le secret. Nous ne devons rien dire à personne. La sécurité de la coupe en dépend. Pendant ce temps, à Toronto, le directeur du temple de la renommée essaie d'étouffer l'affaire en prétextant qu'il s'agit d'un canular. La coupe n'est plus dans la salle d'exposition, car elle doit être examinée et nettoyée, rien de plus. C'est la vérité ! Le grand public ne sait pas que la coupe n'est plus à Toronto. Pas encore !

10

Émeute au musée

Le lendemain matin, c'est la cohue totale devant les portes du Musée des beaux-arts de Montréal. Des centaines de personnes se sont regroupées, attendant l'ouverture des lieux. Ils sont tous réunis pour la même raison : voir la fabuleuse coupe Stanley. De toute évidence, mes camarades ne connaissent pas l’expression *motus et bouche cousue* ! La rumeur s’est vite répandue. La coupe Stanley se trouve à Montréal. Impossible de garder un tel secret. Comment peut-il en être autrement ?

Les joueurs de mon équipe sont là, aux premières loges, accompagnés de leurs parents, cette fois. La foule s’impatiente. Dès l’ouverture des portes, les gens se bousculent pour entrer. Les partisans des Canadiens courent partout dans le musée. Ils cherchent tous la coupe Stanley. Ne la trouvant nulle part, plusieurs poussent des cris de mécontentement. Les gardes de sécurité sont assaillis de questions. Le bureau d'accueil aussi. C'est le début d'une émeute. Le directeur du musée doit s'en mêler. Il crie dans son mégaphone :

— La coupe Stanley n'est pas en salle d'exposition ! Vous ne pouvez pas la voir ! La coupe n'est pas en salle d'exposition ! répète-t-il sans cesse.

Rien à faire, la foule hurle. Ses admirateurs la réclament. Ils ne l'ont pas vue à Montréal depuis 1993, lors de la dernière victoire des Canadiens. Je réalise l'ampleur de ma bêtise. Tout ça est de ma faute. On en fait un incident national. Mon père, sous l'insistance du directeur du musée, n'a d'autre choix que d'ouvrir les portes de son laboratoire. Plusieurs gardes de sécurité veillent à la protection de la coupe.

11

De Maurice Richard à Guy Lafleur

De nouveau, il y a des *oh* ! et des *ah* ! Mais aussi des *incroyable* ! *fantastique* !

On peut entendre toutes sortes de conversations. Les admirateurs veulent lire le nom de leur héros d'enfance gravé sur la coupe. Ils racontent des dizaines d'anecdotes aussi savoureuses les unes que les autres.

— Regardez ! Jacques Plante ! C'est le premier gardien à avoir porté un masque. Il a eu du courage, ce jour-là !

Ou encore :

— Ah… Guy Lafleur ! Vous saviez qu'on le surnommait la comète blonde ? Je me souviens l'avoir vu jouer avec les Remparts de Québec. Je connais…

C'était surprenant, fascinant.

— Jean Béliveau. Il était grand et rapide comme l'éclair. Il n'avait pas peur d'aller chercher la rondelle dans les coins.

On entend encore et encore le nom des joueurs des Canadiens. Je suis fasciné. J'observe la scène, hébété. Devant mon désarroi, mon père me demande :

— Mais que se passe-t-il ? Pourquoi as-tu l'air si surpris ?

— Ils ne réalisent pas que les noms des joueurs ont disparu !

Mon père, frottant son crâne dégarni, ouvre la bouche pour me répondre lorsqu'il est interrompu.

Quelqu'un s'exclame :

— Maurice Richard ! Le numéro 9. Dans mon équipe, au village, tout le monde portait le chandail numéro 9 !

— C'est vrai. Nous aussi !

— Ah ! Maurice Richard ! On se coiffait tous les cheveux de la même manière que lui.

— Oui, je me rappelle, raconte un autre parent, tout le monde patinait comme lui. On affichait tous sa photo sur les murs, même à l'école.

— C'était notre idole. Il a été la cause d'une émeute dans les rues de la ville. Je m'en souviens comme si c'était hier. Seize mille personnes avaient manifesté contre sa suspension pour la saison.

— C'était une telle injustice ! Tout ça parce qu'il s'était battu pendant une partie et que, dans la mêlée, il avait frappé un arbitre.

— Que de bons souvenirs !

J'ai un nouveau mystère à résoudre. Pourquoi tous ces gens, tous ces admirateurs, ne remarquent-ils rien ? Ils parlent tous comme s'ils pouvaient vraiment lire les noms sur la coupe ! Je suis stupéfait ! J'essaie de me faufiler dans la foule enthousiaste. Je m'approche avec difficulté. Tout le monde veut observer la coupe en même temps. Mais je dois en avoir le cœur net. Voir de mes propres yeux. En arrivant devant le trophée, je pousse un cri de surprise.

— Que se passe-t-il ? me demande mon père.

— Papa ! Je viens de comprendre et, du même coup, de résoudre l'énigme !

12

La coupe Stanley, une vedette !

La population admire ce magnifique trophée toute la journée. Ils quittent le laboratoire de mon père et le musée ferme ses portes. Jamais il n'y a eu autant de visiteurs. Certains n'y avaient même jamais mis les pieds avant ce jour.

Pendant tout ce temps, mon père a surveillé le précieux objet. Il semblait fatigué.

— Et puis, tu me fais part de ta découverte, fiston ? me dit-il en m'observant d'un air curieux.

— Papa, tu n'as pas besoin de sortir ta loupe géante ni tes produits de restauration. Regarde !

Je pointe du doigt un endroit très précis sur le côté de la coupe.

— Les noms des joueurs des Canadiens ont réapparu, comme par magie !

— Mais comment est-ce possible ? me demande-t-il, perplexe.

Je suis fier de moi. Je peux enfin réparer mon erreur, me faire pardonner ma bêtise.

— Ce n'est pas sorcier, papa. Tu vois, la coupe Stanley est une vedette !

— Une vedette ? C'est ça, ta découverte ? Explique-moi.

— C'est simple. La coupe Stanley a besoin de ses admirateurs. Je n'irai pas jusqu'à dire qu'elle s'ennuie, mais… je n'ai pas d'autres hypothèses. La preuve est là, devant nous.

Mon père, qui préfère toujours les arguments scientifiques, fronce les sourcils. Je continue mon explication.

— Pour moi, c'est clair comme le jour. Toutes les vedettes aiment que l'on parle d'elles. La coupe Stanley ne fait pas exception à la

règle. Certains noms inscrits sur la coupe datent de plus de deux cents ans. À Toronto, j'ai lu que c'est le plus vieux trophée du sport professionnel.

Mon père ne semble pas convaincu.

Je poursuis donc :

— Je pense que les noms disparaissent lorsque les admirateurs les oublient. Ils s'effacent de la coupe en même temps que de leur mémoire. Ce qui s'est passé ici aujourd'hui en est la preuve. Les gens se sont souvenus de Maurice Richard et de Guy Lafleur, alors comme toute vedette, la coupe s'est vêtue de ses plus beaux atours.

— Hum… fait mon père, incrédule. Je vais tout de même continuer la restauration et effectuer d'autres tests, mais je crois que tu as mis le doigt sur quelque chose de très important. Toutefois, la coupe a vraiment besoin d'être restaurée et nettoyée. Une fois tous les cent ans, ce n'est pas trop. Mais tu as raison, elle a aussi envie d'être mise en valeur, d'être présentée comme une vedette. Il faut qu'elle retourne dans les villes où les équipes se sont affrontées pour la gagner. Je dois immédiatement téléphoner au directeur du temple de la renommée.

Le hasard fait bien les choses parfois. Mon père est devenu le restaurateur attitré de la coupe Stanley. Je peux donc la contempler aussi souvent que je le désire. Enfin, pas vraiment. La très populaire coupe voyage à travers le monde. Pendant une saison régulière de hockey, elle parcourt plus de cent mille kilomètres, accompagnée de ses deux gardes du corps. Elle en voit, du pays ! De l'Europe à l'Arctique, en passant par les hôpitaux et les arénas de quartier ; tous peuvent l'admirer. Les joueurs de l'équipe gagnante ont maintenant la possibilité de la garder avec eux une journée entière. Elle se fait photographier et caresser, partout où elle s'arrête. Ses admirateurs l'adorent.

Le directeur du temple de la renommée a dû en faire une copie. C'est celle-ci qui est actuellement à Toronto. L'unique, la seule, la vraie, l'originale est constamment en voyage. Ainsi, aucun nom ne disparaîtra plus jamais.

Il ne me reste plus qu'à espérer que mon équipe préférée gagne une fois encore...

la coupe Stanley !

TABLE DES MATIÈRES

Marc Couture

Marc habite Gatineau, dans la région de l'Outaouais, où il enseigne aux élèves du primaire. Fort d'une imagination débordante, il ressent le besoin de raconter des histoires aux enfants. Il se décide finalement à écrire ses propres textes.

Ses deux premiers romans, ont obtenu de belles critiques littéraires dont un « coup de cœur » en France. Pour le plus grand bonheur des jeunes, il nous présente ici son troisième roman jeunesse.

Nadia Berghella

Je suis une gribouilleuse professionnelle ! Une Alice au pays des merveilles, une gamine avec un pinceau et des ailes...

Donnez-moi des mots, une histoire, un thème ou des sentiments à exprimer. C'est ce que je sais faire... ce que j'aime faire !

De ma bulle, j'observe la nature des gens. Je refais le monde sur du papier en y ajoutant mes petites couleurs ! Je sonde l'univers des petits comme celui des grands, et je m'amuse encore après tout ce temps !

Je rêve de continuer à faire ce beau métier, cachée dans mon atelier avec mes bas de laine et de l'encre sur les doigts.

www.nadiaberghella.com

Achevé d'imprimer en mai 2009
sur les presses de l'imprimerie Gauvin,
Gatineau, Québec